Dirección editorial:
Departamento de Literatura
Infantil y Juvenil

Dirección de arte:
Departamento de Imagen y Diseño GELV

Diseño de la colección:
Manuel Estrada

El 0,7% de la venta de este libro se destina al Proyecto «Mejora de la Calidad y oferta educativa del ciclo diversificado del Instituto Tecnológico Quiché de Chichicastenango (Guatemala)», que gestiona la ONG Solidaridad, Educación, Desarrollo (SED).

Carretera de Madrid, km. 315,700
50012 Zaragoza
Teléfono: 913 344 883
www.edelvives.es

Editado por Celia Turrión

ISBN: 978-84-263-7115-7
Depósito legal: Z.162-09

Talleres Gráficos Edelvives (50012 Zaragoza)
Certificados ISO 9001

Printed in Spain

FICHA PARA BIBLIOTECAS

TORTOSA, Ana (1962-)
Un par de alas / Ana Tortosa ; ilustraciones, Lucía Jalón Oyarzun. – 1ª ed. – Zaragoza : Edelvives, 2009
48 p. : il. col. ; 20 cm. – (Ala Delta. Serie roja ; 54)
ISBN 978-84-263-7115-7
1. Hadas. 2. Relación abuela-nietos. 3. Imaginación. 4. Secretos. I. Jalón Oyarzun, Lucía (1982-), il. II. Título. III. Serie.
087.5:821.134.2-3"19"

EDELVIVES

ALA DELTA 

Un par de alas

Ana Tortosa

Ilustraciones
Lucía Jalón Oyarzun

Para María/Miren,
que es la María de esta historia.
Y en memoria de mis abuelas,
Otilia y Hortensia,
que no eran hadas.

Ana

Para ti, hada buena
de moño plateado y gafas de cuento;
y para Ana, por haberse atrevido
a mirar bajo el paraguas rojo.

Lucía

Sé que mi abuela es un hada.

He leído que las hadas son invisibles y que sólo las pueden ver los gatos, nunca los humanos.

Mi abuela no es invisible, pero a veces la busco por todas partes y no la encuentro.

Cuando menos me lo espero, aparece con cara de haber venido de muy lejos.

Le pregunto:
—Abuela, ¿dónde has estado?

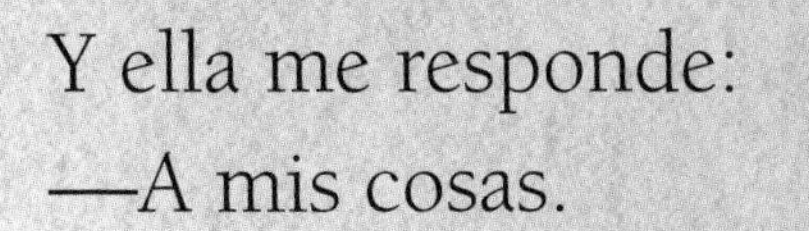

Y ella me responde:
—A mis cosas.

—Dando de comer a las gallinas.

—En el baño.

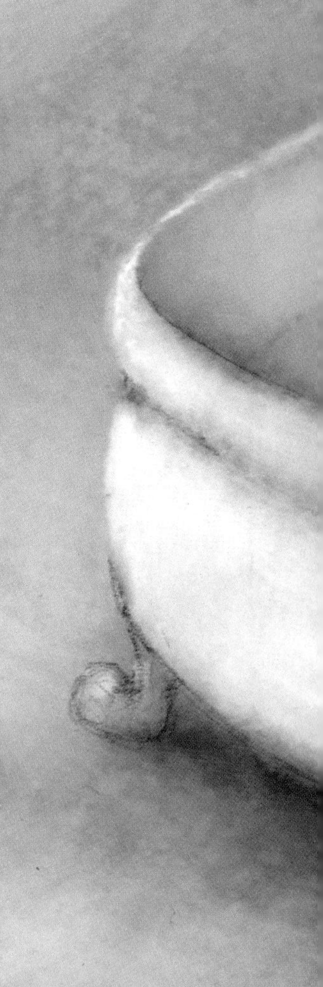

—Hablando por teléfono.

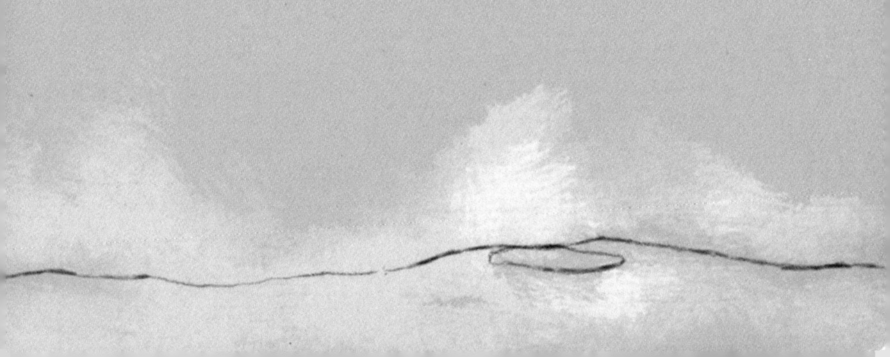

—Tendiendo la ropa.

—Leyendo el periódico.

—Paseando.

Si le pregunto directamente: «¿A que eres un hada?», me saca la lengua y se da la vuelta.

A las hadas les encanta burlarse de los humanos.

Comprendo que no me confiese la verdad. Tal vez las hadas prometieron no decirle a nadie que son hadas.

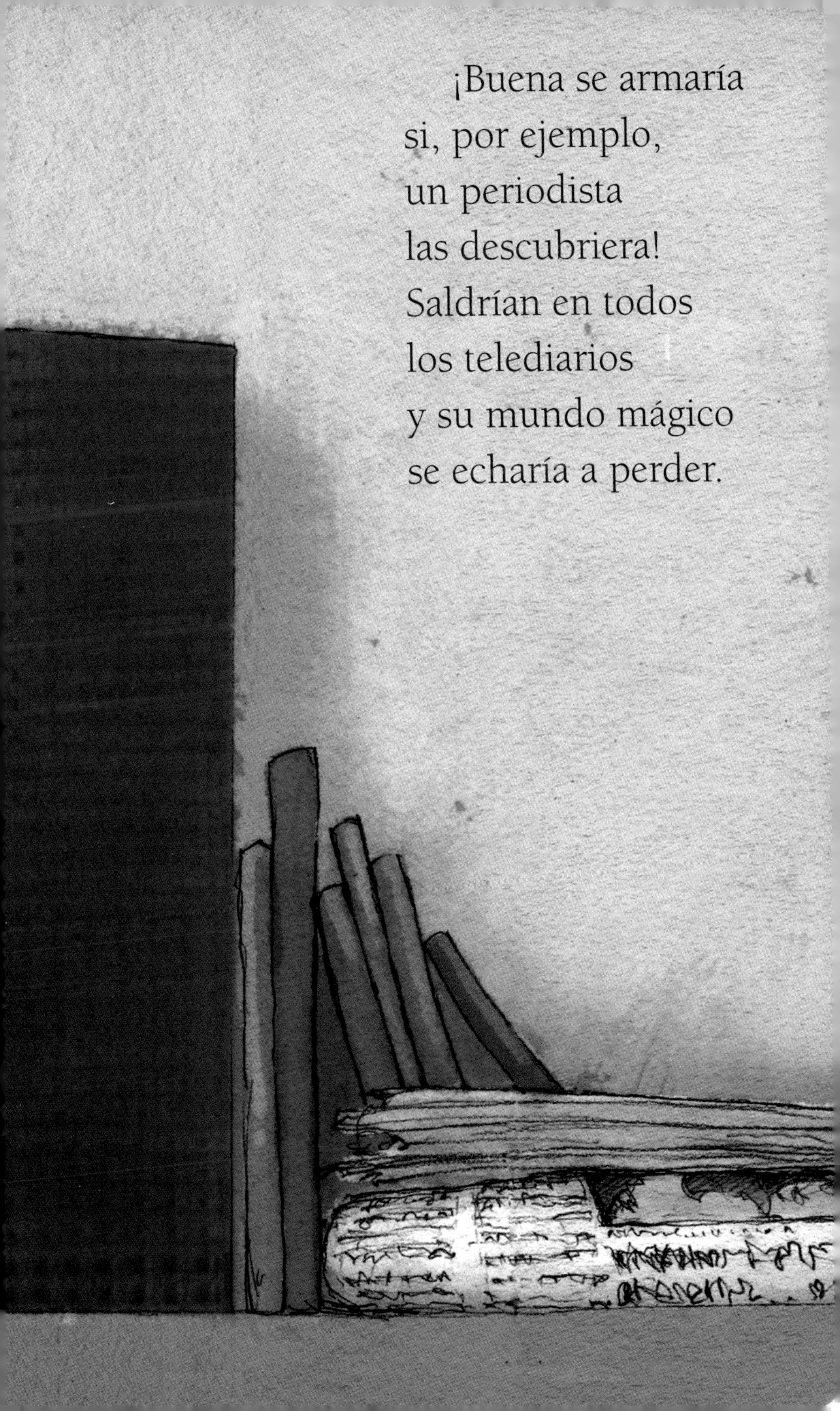

¡Buena se armaría
si, por ejemplo,
un periodista
las descubriera!
Saldrían en todos
los telediarios
y su mundo mágico
se echaría a perder.

Soy el único en casa que lo sabe.

Si se lo digo a mi abuelo, me mira asustado o como si le hubiera caído encima una jarra de agua fría.

No insisto porque si no se ha enterado ya, es mejor que no lo sepa.

Si llevan juntos
más de cuarenta años
y mi abuela no
ha contado nada,
será por algo.
No quiero estropear
su secreto.

Tampoco se me ocurre
contárselo a mi madre.
En el colegio tengo fama
de andar siempre por las nubes
(como soy nieto de un hada...),
y la pobre ya está cansada
de las quejas de mi maestra.
Para no empeorar las cosas,
ni se lo menciono.

Con mi padre no hablo
de hadas, sólo de fútbol,
¡con lo que me aburre!
Parece que no hay otro tema
de conversación.
Si le digo que mi abuela
es un hada, pensará que estoy
chiflado.

Menos mal que María
me entiende. Puedo confiarle
todo lo de mi abuela,
y mucho más, igual que ella
me cuenta lo de su hermano,
que, por lo visto, es
un extraterrestre.

Yo no tengo hermanos
y no sé cómo serán, pero
si ella dice que el suyo
es muy raro, será que lo es.

Cuando nos cruzamos
por la calle, la verdad,
no le noto nada diferente.

Quizá está disimulando,
como las hadas,
para que no lo descubran.

María oyó que las hadas son bastante caprichosas. Entonces me acordé de lo de la bici...

Mi abuela llevaba una buena temporada quejándose de que su vieja bicicleta era un trasto. Mi abuelo le regaló una azul, muy bonita, por su cumpleaños, ¡pero ella se enfadó y le obligó a devolverla!

Dijo que a las cosas se les toma cariño, como a las personas, y, que si a las personas no se las cambia por otras, a las bicicletas tampoco.

También me enteré
de que las hadas van siempre
bien peinadas.

Pero mi abuela trabaja demasiado en la huerta, y así no hay manera de que su pelo parezca de hada. Se le enreda con el viento y con las plantas tomateras: siempre está hecho un desastre. ¡No es fácil ser un hada perfecta todo el tiempo!

Tiene los ojos del mismo color que las hadas: verdes, tirando a marrones.

Además, le molesta el ruido, como a ellas. Y odia la sal, como ellas. He juntado tantas pistas sobre su verdadera personalidad, que lo de hace un rato apenas me ha sorprendido...

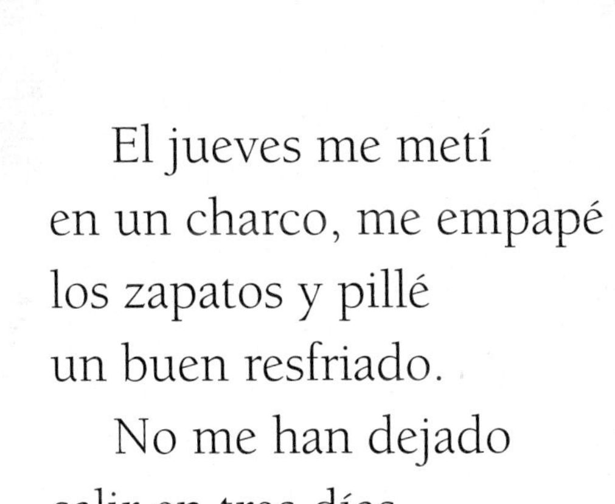

El jueves me metí
en un charco, me empapé
los zapatos y pillé
un buen resfriado.

No me han dejado
salir en tres días,
¡qué aburrimiento!

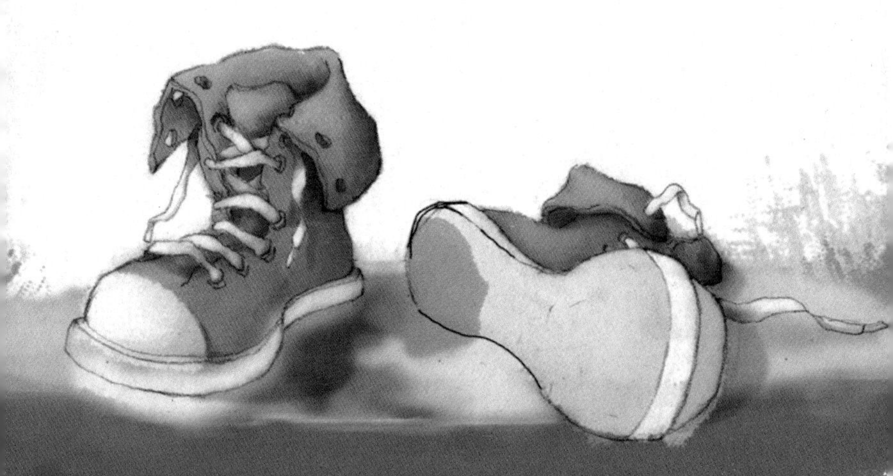

Pero esta
tarde he subido
al desván, a escondidas,
aprovechando que
se han ido de paseo.
He rebuscado entre
telarañas, cajas
y baúles...

Del fondo
del arcón más grande
y polvoriento, he rescatado,
envueltas en papel de seda,
un par de alas de hada
de la talla de mi
abuela.

Ahora mismo llamo a María
y se lo cuento...
¡Y que se las pruebe, a ver si le valen!

Últimos títulos publicados

Serie Roja

29. *Hormiguita negra.* **Ana Mª Romero Yebra**
30. *Tomás y la goma mágica.* **Ricardo Alcántara**
31. *Las anginas de mamá.* **Maya Nahum-Valensi**
32. *Paco y Álvaro se pelean.* **René Escudié**
33. *¿De dónde sale esta niña?* **Thierry Lenain**
34. *Sólo a mí me pasa.* **Gabriela Keselman**
35. *La patulea de la reina.* **Agnès Bertron**
36. *Sola y* Sincola. **Patxi Zubizarreta**
37. *Amanda Chocolate.* **Bernard Friot**
38. *Luna quiere un bebé.* **Thierry Lenain**
39. *¿Quién es Nuria?* **Florence Cadier**
40. *Gabriel y la isla azul.* **Amélie Cantin**
41. *Tomás y las tijeras mágicas.* **Ricardo Alcántara**
42. *Un móvil en el Polo Norte.* **Carl Norac**
43. *Cariñoso bicho malo.* **Dirk Nielandt**
44. *¿Quién soy yo?* **Gianni Rodari**
45. *El maravilloso puente de mi hermano.* **Ana María Machado**
46. *Nel pinta lo que quiere.* **Ben Kuipers**
47. *¡Vamos, cuentos, a Belén!* **Ana Mª Romero Yebra**
48. *Constantino hace llover.* **Ana María Machado**
49. *Las pataletas de Paula.* **Anne-Marie Chapouton**
50. *Usoa, llegaste por el aire.* **Patxi Zubizarreta**
51. *El pintor.* **Gianni Rodari**
52. *Otilia imagina.* **Antonio Vicente**
53. *¡Ya soy mayor, mamá!* **Thierry Lenain**